El cartero
no siempre llama dos veces

Lourdes Miquel/Neus Sans

El cartero
no siempre
llama dos veces

DIFUSION

Centro de Investigación y Publicaciones de Idiomas
Bruch, 21, 1.º - 1.ª
08010 Barcelona

Colección **"Venga a leer"**
Dirigida por Lourdes Miquel y Neus Sans
Serie *"Plaza Mayor, 1"*

Diseño de colección y cubierta: *Ángel Viola*
Fotografías: *Incafo*

1.ª edición 1989
2.ª edición 1992
3.ª edición 1995

ISBN: 84-87099-12-2
Depósito Legal: M. 7463-1992
Impreso en España - Printed in Spain
Gráficas Ramas, S. A.
Francisco Remiro, 8 - 28028 Madrid

1

Dentro de diez días es Navidad. La Plaza Mayor de Madrid está llena de casetas en las que venden todo tipo de cosas: abetos, figuras para el belén, artículos de broma, juguetes...[1]. Es una soleada mañana de miércoles y no hace mucho frío. Los estudiantes están en clase, los bancos están llenos de clientes que necesitan sacar dinero, el mercado está lleno de mujeres preocupadas por la comida que tienen que hacer en estas fiestas, los taxis trabajan más que nunca, los carteros andan con sus sacas llenas... La vida sigue, pero un poco complicada por los regalos que hay que hacer, el dinero que hay que gastar, la gente que hay que felicitar, las cosas que hay que preparar... Todas las calles del centro están llenas de luces y se oyen villancicos por todas partes.

En el número uno de la Plaza las cosas están poco más o menos igual. Doña Josefa, la portera, está de mal humor porque dice que hay demasiada gente en la plaza y que el portal se ensucia más. Doña Carmela Sagasta, una mujer de más de sesenta años que vive en el segundo, tiene que pasar la Navidad sola en compañía de su perro. El matrimonio Muñoz, los del primero derecha, se preocupa por los gastos que van a tener si les compran a sus cinco hijas todo lo que ellas quieren. Irene Vázquez, la profesora de Instituto del tercero derecha, está encantada porque dentro de dos días empieza las vacaciones [2]. Ricardo Solá, el médico catalán del cuarto, ya está pensando en su viaje a Barcelona y en el pollo con ciruelas y piñones [3] que va a comer el día veinticinco. José Moyano, conocido en la escalera como "el vecino del quinto"[*], hace muy pocos días que se ha trasladado a vivir aquí y todavía no se ha dado cuenta de que pronto es Navidad. En el piso de estudiantes, el cuarto izquierda, hay bastante lío; exámenes y noches enteras estudiando, fiestas para celebrar que los exámenes han terminado, y otras fiestas para celebrar que pronto llegarán las vacaciones. La pareja de argentinos que vive en el tercero prefiere no pensar mucho en estas fiestas: en Argentina es verano y en España, invierno, allí se toma dulce de Pascua y aquí turrones, allí está la familia y aquí sólo unos pocos amigos.

2

Ricardo Solá lleva un enorme paquete y no puede abrir el portal. La portera lo ve y va a ayudarle.

(*) La primera novela de esta serie se llama *El vecino del quinto* y cuenta la llegada de José Moyano a la escalera y los conflictos que provoca. Corresponde al nivel 1, destinado a principiantes.

—¿Qué es eso, doctor?

—Un teclado, un instrumento musical maravilloso.

—Ay, Dios mío, doctor, ¿Otro? ¿No tiene ya bastante con la batería y todo lo que tiene en casa?

—Un músico, querida Josefa, siempre necesita comprarse instrumentos nuevos.

—Sí, pero usted no es músico...

—Es mi "hobby", que es peor.

Peor sobre todo para los vecinos porque Ricardo toca todo tipo de instrumentos en sus horas libres. Y no lo hace mal, pero no a todos los vecinos les gusta el jazz y menos a cualquier hora entre las nueve y las doce de la noche.

Del ascensor sale un japonés que está en Madrid para estudiar español. Cuando lo ve, la portera le dice:

—Espere, señor Chuchichi.

Se llama Junichi, pero Doña Josefa lo dice con muchas "cehaches" porque así le parece más extranjero.

—Tengo una carta para usted... Viene de Japón. Lo sé por el sello.

Evidentemente la portera quiere saber más: quién le escribe, por qué, qué le dice... El japonés sonríe y mira el remite. Pone cara de extrañeza y lo vuelve a mirar. Luego, mira el sobre por delante.

—Esta carta no es para mí, Doña Josefa. Aquí pone Junichi Koike y yo me llamo Junichi Murata...

—Eso es el cartero que se ha liado con tanto apellido raro... Mañana se la devuelvo.

—Gracias y hasta luego.

—Adiós, hasta luego, señor Chuchichi.

La portera lo mira salir y piensa: "Todos estos líos porque se llaman de esas maneras tan raras. Con lo claro que es llamarse López o Vázquez o Martínez... Pero en el extranjero tienen unos nombres..."

3

—¿Está Begoña, por favor?

—Sí, un momento. Ahora se pone. ¿De parte de quién?

—De Irene Vázquez.

Irene está tumbada en su sofá, rodeada de un café, un paquete de cigarrillos, el encendedor y un cenicero. Tiene ganas de hablar mucho rato por teléfono con su amiga Begoña, una abogada especialista en divorcios y separaciones.

—¿Sí?

—¿Begoña? Soy Irene. ¿Estás ocupada?

—No, ahora no. Ya he terminado por hoy. ¿Qué hora es? ¡Las ocho y media! Me he pasado todo el día trabajando. He comido un bocadillo en el bar de la esquina y todo el resto del día trabajando. Esto no puede ser...

Begoña es muy habladora y no es fácil conseguir decir algo cuando se habla con ella. Pero Irene sabe que siempre hay un momento en que Begoña dice:

—Bueno, bonita [4] ¿y tú cómo estás? ¿Qué me cuentas?

—Ah, yo estoy muy, pero que muy bien.

—¡Irene! Hacía mucho tiempo que no decías eso. ¿Cómo se llama él?

—Begoña, no seas mala...

—Mira, Irene, hace muchos años que nos conocemos. Y además, yo tengo mucha experiencia en todo esto. No lo olvides.

—Se llama José, José Moyano Nosequé [5] y es el Director de una productora de vídeos.

—Caramba, qué moderno.

—Ya ves.

—¿Y es...?

—Pues sí, es bastante guapo.

—¿Cómo sabes que te quería preguntar eso?

—Hace muchos años que nos conocemos.

—¿Alto?

—¿Cómo?

—Que si es alto.

—Alto, delgado, de pelo casi blanco y con ojos azules.

—"El Príncipe azul" [6]

—No tan rápido, no tan rápido...

—¿Por qué? ¿No es "el Príncipe azul" un hombre así?

—Casado y con cuatro hijos.

—¿Casado? Si quieres lo separo, viene a mi despacho y...

—Ya está separado. Pero hace poco tiempo.

—¿Edades de los hijos?

—Pareces un policía... La mayor tiene catorce o quince, creo. El segundo unos diez, el tercero cinco y el pequeño todavía no tiene dos años. Están con su mujer.

—Menos mal. Bueno, ¿y cómo fue? ¿Lo conociste en el asiento de al lado de un cine, en la cola de una pescadería, en el último local de moda, en el estanque de El Retiro [7], en un vagón de metro, en un programa de televisión o es el padre de alguno de tus estudiantes?

Una de las características de Begoña es su sentido del humor. Pero no espera la respuesta de Irene:

—En el ascensor.

—¿En el ascensor?

—Sí, como lo oyes. En el ascensor de mi casa.

—¿Y qué hacía allí dentro si puede saberse?

—Yo estaba dentro. El subió después. Vive en mi escalera, en el quinto. Una tarde cuando llegué a casa después del gimnasio, con mi bolsa de deporte, despeinada y sin pintar, entré en el ascensor e inmediatamente entró él. Al salir cogí su bolsa de deporte en lugar de la mía. Eran idénticas.

—¿Y cómo lo arreglaste?

—Lo arregló Maruja, la asistenta. Y hace dos sábados fuimos a cenar juntos.

—De novela.

—"La realidad supera a la ficción" —dice Irene irónicamente—. Ya veremos. Estas cosas siempre empiezan bien y luego...

—No seas pesimista. ¿Por qué tiene que ir mal?

Irene mira el reloj. Ya son casi las nueve. A lo mejor José la va a llamar.

—Bueno, Begoña, guapa. Ya sabes las novedades. Te lo iré contando todo.

—¿Prometido?

—Prometido. Hasta pronto. Un beso.

—Adiós, Irene. Un beso. [8]

4

José no va a llamar a Irene esta noche. A media mañana su hija Sonia lo ha llamado por teléfono.

—¿Está mi padre, Juanita? —le ha preguntado a la secretaria.

—Me parece que está reunido.

—Pregúntale si puede ponerse, por favor. Es bastante urgente.

José estaba reunido, pero una hija es una hija y ha decidido salir un momento de la reunión para hablar con ella.

—¿Qué pasa?

—Nada, que tengo que hablar urgentemente contigo.

—¿Pero qué pasa?

—Nada, problemas. ¿Nos podemos ver esta noche?

—Vale, te espero en casa.

—¿A qué hora vas a llegar, papá?

—Sobre las nueve.

—Bueno, pues a las nueve estoy allí. Hasta luego.

—Chao.

José ha llegado un poquito antes y ha tenido tiempo de ducharse y cambiarse de ropa. A las nueve en punto suena el timbre. José va a abrir.

—Hola, Sonia, ¿qué hay?

—Fatal. Estoy harta de vivir en casa. ¿Puedo venir a vivir contigo? —Sonia va directa al grano. [9] Es una costumbre familiar.

—¿Se lo has dicho a mamá?

—Sí.

—¿Y qué ha dicho?

—Que haga lo que quiera.

Hace un mes, cuando José se trasladó a este piso, pensó que algún día su hija Sonia viviría con él. Pero

11

no tan pronto. Rápidamente calcula qué cosas se necesitan: arreglar una habitación, comprar los muebles, contratar a Maruja, la asistenta, más horas y preocuparse de las comidas y de las cenas.

—Oye, papá, ¿tienes algo para cenar? Tengo un hambre...

Eso, sobre todo preocuparse de las comidas y cenas.

—En la nevera no hay nada, Sonia, pero podemos ir a cenar por ahí.

—Perfecto, pero pronto. Tengo muchísima hambre.

—Sí, ya me lo has dicho. Venga, vamos aquí abajo, a "Casa Paco".

—¿Qué es esa música tan fuerte?

—El vecino. Se dedica a eso en sus ratos libres.

—Oh, no. ¿Y siempre es así?

—Casi siempre.

—¡Vaya!

Pero Sonia no cambia de idea a pesar del ruido.

5

"Casa Paco" es un bar con unas cuantas mesas para comer. Es muy popular y tienen una buena comida casera. Como José baja muchas noches a cenar, ya lo conocen.

—Buenas noches, Don José. ¿Qué van a cenar? Tenemos verdura cocida, arroz a la cubana, macarrones, sopa y ensalada.

—¿Y de segundo?

—Tortilla, pollo asado, merluza a la romana y calamares.

12

CASA PACO.

—Yo quiero macarrones y calamares — dice Sonia.

—Y yo, sopa y merluza. Y agua sin gas.

—Enseguida.

—Bueno, Sonia, ¿y cuándo piensas venir?

—Mañana.

—¿Cómo que mañana? —dice, un poco alarmado, José.

—Sí, mañana. Ya te he dicho que no puedo aguantar más.

—Pero, vamos a ver... Mañana es jueves. Yo tengo que trabajar todo el día. Y, además, tengo una reunión a las siete. O sea que voy a llegar a casa tardísimo...

—Bueno, ¿y eso qué importa? Yo, después del Instituto [10], voy a casa, cojo la ropa y los libros y me vengo aquí.

—¿Y cómo vienes?

—En taxi —Sonia es una gran aficionada a los taxis.

—Pero las cosas te pesarán mucho.

—Yo traigo lo imprescindible y otro día vamos a casa de mamá y recogemos el resto. ¿Te parece?

La sensatez y la lógica de su hija le hacen decir a José:

—De acuerdo. Lo hacemos así. Ahora al subir a casa te doy una llave.

Detrás de José hay una mesa ocupada por quinceañeros que están tomando refrescos minutos antes de subir a casa a cenar. Clara Muñoz, una rubia estudiante de B.U.P. [11] que vive en la escalera de José, lo está mirando fijamente. Hace unos días, cuando José se instaló en el piso, Clara se enamoró locamente de él, intentó conquistarlo pidiéndole sal y otras cosas y tuvo una serie de problemas con él. Un día lo vió salir con Irene. Clara se enfadó mucho. El hombre de su vida con otra mujer. Pero lo de hoy no lo puede soportar: José con una jovencita, una jovencita como ella. Y cenando y hablando tranquilamente. "¿Por qué con ella sí y conmigo no?", piensa, enfadadísima, Clara. "¿Por qué ella si yo también soy alta y guapa? A ver... ¿Por qué?"

—¿Te pasa algo, Clara? —le pregunta Borja, un compañero de Instituto.

—No.

—Pues no lo parece.

—Déjame en paz —le dice Clara, levantándose de la silla—. Aquí dejo cien pesetas para pagar esto. Chao.

Y se va.

—¿Qué le has dicho? —le pregunta Toni a Borja.

—¿Yo? Nada. Le he preguntado si le pasaba algo. Y se ha ido.

—Estos días está un poco rara...

—Cosas de mujeres —dice Borja encendiéndose el tercer cigarrillo de su vida.

6

Todos los días, a eso de las once de la mañana, llega el cartero. Le da un montón de cartas a la portera y luego ella las echa en los buzones de los vecinos. El cartero sólo sube a los pisos cuando hay alguna carta urgente, certificada u oficial.

—Buenos días, Doña Josefa. Aquí tiene la correspondencia de hoy.

—Y yo tengo una carta para usted... Bueno, para usted no. Es la del japonés, que dice que no es para él, que él se llama no sé cómo y que aquí pone otra cosa.

—Bueno, pues me la llevo.

El cartero va hacia el ascensor.

—¿Va a subir? —le pregunta la portera.

Está claro que va a subir, pero la portera quiere saber a dónde y, si puede, por qué.

—Sí. Voy al cuarto.

—¿Derecha o izquierda?

—Derecha.

—Pues no sé si está el doctor Solá. Normalmente está en el hospital a estas horas. Pero si ayer tuvo guardia...

—Voy a subir de todos modos.

El cartero es un chico joven que estaba en el paro. [12] Ahora está estudiando informática por las noches y el trabajo de cartero no le interesa nada. La música, las cervezas con los amigos, el fútbol y su novia son sus aficiones favoritas. Pensando en esas cosas, se equivoca y, en lugar de ir al cuarto, va al tercero y llama a la puerta izquierda en lugar de llamar a la derecha: un auténtico profesional.

—¿Sí? —dice una mujer morena de enormes ojos negros que acaba de abrir la puerta.

—¿Es usted Ricardo Solá? Uy, perdón, claro que usted no es Ricardo Solá... Lo que quiero decir es si vive aquí.

—¿Ricardo Solá o yo? —pregunta la mujer riéndose. Es psicoanalista y está acostumbrada a cosas peores.— No, no vive aquí.

—Pero éste es el cuarto derecha, ¿no?

—Tercero izquierda, para ser más exactos.

—Lo siento, Discúlpeme.

El cartero coge su enorme saca y sube a pie al piso de arriba. Llama pero no contesta nadie. Al bajar mete un papel en el buzón de Ricardo Solá, se despide de la portera y se va.

7

Todas las mañanas Doña Carmela Sagasta, una mujer de más de sesenta años, guapa, elegante y muy simpática, con un misterioso pasado y que vive sola con su perro, baja a charlar un rato con la portera. Doña Carmela es mucho más culta y tiene más mundo [13] que Doña Josefa, pero las dos son muy aficionadas a hablar de las vidas de los vecinos y de los conocidos del barrio.

Doña Carmela almuerza hacia las dos, más temprano que la mayoría de los madrileños, duerme la siesta hasta las tres y entonces ve el Telediario [14] y, después, "Falcon Crest" [15]. A veces uno de los temas de conversación con la portera es Angela Channing y sus problemas. Pero esta tarde ha renunciado a ver el episodio, aunque lo ha grabado en el vídeo, para tener tiempo de comprar unos cuantos regalos para sus amistades.

—¿Tiene que comprar muchas cosas, Doña Carmela?

—Muchas, muchas, no. Pero tengo que buscar mucho, que está todo muy caro.

Del ascensor sale una mujer de unos cincuenta años, delgada y no muy alta, teñida de rubio, muy pintada y vestida de rojo.

—Adiós. Hasta luego —saluda al pasar por delante de las dos.

—Hasta luego, Doña Luisa —le dice la portera.

—¿Y ésta a dónde va a estas horas? —pregunta Doña Carmela cuado la mujer se ha ido.

—No lo sé. No tengo la menor idea. Pero todos los días hace lo mismo. Primero, sale su marido para la oficina y, luego, a eso de las cuatro y cuarto, sale ella.

—¿Y usted no sabe a dónde va?

—Ni yo ni nadie. Y a mí me parece que el marido tampoco lo sabe —dice la portera hablando en voz baja.

—¡Jesús! [16] ¡Qué horror!

—Bueno, a lo mejor se va de compras, a ver a algún enfermo o a merendar [17].

—¿A merendar a las cuatro de la tarde? —pregunta extrañada Doña Carmela..

—Bueno, un poco pronto sí es.

—Tiene que enterarse, Doña Josefa.

En ese momento entra Junichi Murata.

—Hola, señor Chuchichi.

El japonés sonríe: se ha acostumbrado a que la portera lo llame de ese modo.

—Ya le he dado eso al chico y él lo devolverá allá.

Junichi sabe bastante español pero cuando habla con la portera tiene problemas para entenderla. "¿Qué será 'eso'? ¿Quién será ese chico? No entiendo nada.", piensa y, tímidamente, pregunta:

—¿Cómo dice, señora Josefa?

—Que ya le he dado la carta ésa al cartero.

—Ah, ya. Muchas gracias.

Hace una pequeña reverencia y se va.

—¡Qué guapo es ese jovencito!

—Ay, hija [18], a usted le gustan todos los hombres, Doña Carmela.

Y es verdad.

8

Cuando sale del portal, Doña Luisa Mendoza, señora de Fernández, coge un taxi y se va a un bingo [19] a jugar. Allí se encuentra con dos o tres mujeres como ella, de su misma edad, amas de casa, con hijos mayores y con maridos que se pasan el día trabajando. Se sientan, hablan, toman algo y juegan. Hace unos años iban a las cafeterías, ahora prefieren ir al bingo.

—¿Qué tal hoy? —le pregunta Luisa a una de sus amigas.

—No muy bien, la verdad. Pero acabo de llegar.

—Señorita, déme tres cartones [20].

Y empieza a jugar. Todas las tardes de invierno, de primavera y de otoño juega al bingo. En vacaciones, no, porque está con su marido. Él no sabe que juega. Nadie lo sabe. Es el gran secreto de Luisa Mendoza.

—Línea [21] —dice en voz alta Luisa.

Por un momento se para todo y se oye una voz en la sala que dice: "Han cantado línea".

—¡Qué suerte, hija! Llegas y ganas.

—Ya era hora, ¿no crees? Este mes he perdido más de cien mil pesetas.

—¿Y qué le dices a tu marido?

—¿A mi marido? ¡Nada!

—¿Y no se entera?

—Pues no. ¿No ves que está todo el día trabajando y cuando llega a casa come, ve la tele y duerme la siesta? Y por la tarde, cuando vuelve de la oficina, la tele, la cena y la tele...

—Pero si va al banco...

—Es que yo el dinero del bingo lo tengo en otro banco...

—O sea, que tú engañas a tu marido.

—Sí y no.

—¿Qué quieres decir?

—El no sabe lo que hago con el dinero, ¿no? Pero cuando gano, le compro una corbata o un jersey y piensa que soy muy buena administradora.

—Vaya, vaya...

—¿Y tú a tu marido se lo cuentas?

—Le digo que vengo sólo una tarde a la semana.

—¿Y cuándo pierdes?

—No le digo cuánto dinero he perdido.

—¿Y él no te lo pregunta?

—Sí, claro. Pero si he perdido cien, le digo que cincuenta. Y si he perdido cincuenta le digo que treinta. No sé... Depende.

—¿Y si ganas?

—Le digo que he ganado menos. Así, me quedo con un poco de dinero para mí.

—Ah, ya. O sea que yo engaño a mi marido pero tú no. Tú no le engañas, no. Tú no le dices la verdad, pero no le engañas.

—Oye, Luisa, en serio, ¿tú crees que está bien lo que hacemos?

Luisa se calla. Necesita venir al bingo cada tarde. Lo necesita. Si no juega, se pone nerviosa, de mal humor, enferma.

—¡Bingo! —grita Luisa.

20

Algunas personas protestan en voz baja, frustradas porque no han ganado. Una de las camareras le pone una enorme copa encima de la mesa y otra le trae el dinero. Doscientas cincuenta y tres mil novecientas veintinueve pesetas.

"Tengo que venir todas las tardes. Todas".

9

Ricardo acaba de llegar a su casa después de trabajar todo el día en el hospital. Está encantado porque hoy va a probar por primera vez su nuevo teclado. Se ducha, se cambia de ropa y empieza a tocar. Al cabo de un rato suena el timbre pero no lo oye, después vuelve a sonar en medio de una pausa musical. Ricardo va a abrir. No hay nadie en la puerta, llaman desde abajo. Ricardo busca el telefonillo [22].

—¿Sí?

—¿Está Irene?

—No, no es aquí. Creo que vive en el tercero derecha.

—Es que yo estoy llamando al tercero derecha.

—No, esto es el cuarto derecha.

—Perdón.

Cuelga mucho más tranquilo. "Menos mal. No era ningún vecino protestando por la música." Vuelve a sonar el timbre. Abre la puerta. Nadie. El telefonillo otra vez.

—¿Irene?

—Ya le he dicho que es en el tercero.

—Es que estoy llamando al tercero. El timbre debe funcionar mal.

Y tan mal. No es la primera vez que pasa. Ricardo está harto de llamadas que no son para él. Y siempre pensando que van a protestar por el ruido. "Y no es ruido. Es música. La música más moderna del mundo".

En el portal, delante del portero automático hay un hombre de unos cuarenta años, muy moreno, de ojos verdes. Es Lucho Madrigal, un chileno amigo de Irene que vive en París desde la caída de la Unidad Popular [23]. Ha venido a pasar unos días a Madrid.

La portera lo ve y sale de la portería [24].

—¿Por quién pregunta?

—Busco a Irene Vázquez. Estoy llamando a su piso, al tercero derecha, pero suena en el cuarto izquierda.

—Pasa muchas veces. Tenemos que arreglar esos timbres. Me parece que la señorita Vázquez no está. Suele llegar un poco más tarde. ¿Quiere dejarle algún recado? —Doña Josefa está encantada. Se va a enterar de todo.

—No, gracias.

La portera se decepciona.

—Bueno, sí, una cosa... —dice el chileno.

La portera se alegra de nuevo.

—No le diga nada. Quiero darle una sorpresa, ¿de acuerdo?

—Como usted quiera —contesta Doña Josefa no muy educadamente.

Al cabo de un rato llega Sonia, la hija de José, con una enorme maleta, un radiocassette y una caja de libros.

—Buenas tardes.

—¿A qué piso va? —le pregunta la portera con un tono policial. No se fía de los jóvenes con maletas.

—Al quinto. Soy hija de José Moyano.

—¿Don José tiene ya una hija tan mayor? Perdona, hija, pero pensaba que ibas al cuarto. Hay un piso de estudiantes, ¿sabes? Y siempre entra gente. Novios, novias. Un lío. Hay mucho lío en ese piso. ¿Tienes llave?

—Si, me la dió mi padre ayer.

—Muy bien, muy bien. ¿Y vienes a pasar unos días?

—No, voy a vivir aquí.

—Ay, hija, qué bien. Así tu padre está acompañado.

Sonia se está cansando de tantas preguntas. Además, la portera habla, pero no ayuda. Mete todo en el ascensor y se despide. "¡Qué pesada!", piensa.

10

Cuando Irene llega a su salón, tira un montón de paquetes encima del sofá. "Dichosas fiestas. Comprar, comprar, y comprar y, total, ¿para qué?." Tiene ganas de tener vacaciones, pero no de reunirse con toda la familia el veinticuatro, el veinticinco, el uno y el día de Reyes [25]. Demasiados días y demasiada comida para una mujer que hace régimen contínuamente y que va al gimnasio tres o cuatro tardes por semana. Irene no tiene mucha relación con su familia. Sus padres, ya mayores, no entienden el tipo de vida de su hija. Sus otras hermanas están casadas y estuvieron en casa de sus padres hasta el día que se casaron. Dos de sus hermanos, también. El menor, Ignacio, se hizo periodista y está de corresponsal en el Líbano. "Pero es un chico", dice siempre la madre. A los padres de

Irene no les gusta que viva sola, que viaje con sus amigos ni que cambie de novio de vez en cuando y tampoco les gusta que no vaya a misa. Todos los años tienen problemas en Nochebuena porque después de la cena, la familia se va a la Misa del Gallo [26]. Todos, menos Irene, un cuñado anarquista y su sobrino el mayor. Los tres se quedan tomando champaña y comiendo turrones hasta que el resto de la familia vuelve y empieza una larga y repetida discusión. Pensar en todo eso le da un poco de tristeza. Y de pereza, también.

Se hace un zumo de naranja y piensa: "¡Qué horror cuando se enteren de que salgo [27] con un hombre casado y con hijos. Bueno, separado. Sí, separado... Un momento, nena —cuando habla con ella misma siempre se llama "nena"—, todavía no sales. Has salido una noche... Pero, la verdad, es que me gustaría salir con él. Creo que estoy enamorada. Socorro."

En ese momento suena el timbre. "¡Él!", piensa contentísima Irene. "Oh, cielos, él y yo sin arreglar", piensa inmediatamente después algo preocupada por su aspecto. Pero abre igualmente.

Y es él. Pero no José, sino Lucho Madrigal, absolutamente inesperado.

—Sorpresa... —dice el chileno con una gran sonrisa y un ramo de flores en la mano derecha.

"Pues sí que es una sorpresa —piensa Irene. Una sorpresa y una complicación."

—¡Lucho! ¿Qué estás haciendo aquí? —pregunta, sin embargo.

—Te lo cuento si me dejas pasar.

—Claro, claro. Pasa.

El chileno le da el ramo y se dan dos besos [28].

—He venido a Madrid a dar una conferencia so-

24

bre la literatura chilena en el exilio y he pensado: tengo que ver a Irene.

—¿Cuántos años hace que nos vimos por última vez?

—¿Tres? ¿Cuatro?

—O cinco, quizá. Fue en Poitiers en el congreso sobre Neruda y eso fue en..., en el...

—Cinco años, Irene. Hace cinco años. ¡Qué barbaridad! ¡Cómo pasa el tiempo!

—Te veo muy bien, Lucho.

—Un poco más viejo, ¿no? Tú sí que estás bien.

—Eso se lo dirás a todas [29]. ¿Sigues siendo un Don Juan? [30]

—¿Pero no lo sabes? Me casé, pues. Me casé hace dos años con una estudiante de la Universidad. Francesa, claro. Y tenemos un hijo de un año.

—¿No me digas? ¡Enhorabuena! [31].

Hablan y hablan, toman copas y recuerdan los viejos tiempos. A eso de la diez deciden bajar a cenar por ahí.

—¿Qué te parece ir a algún restaurante en el Madrid de los Austrias? [32].

—Lo que tú decidas estará bien.

11

Cuando Irene y Lucho salen del portal, un montón de gente está ahí. Doña Carmela con su perro y una bolsa de El Corte Inglés [33] llena de regalos. Clara, la hija de los Muñoz, apoyada en la pared esperando a alguien. Doña Josefa poniendo las bolsas de la basura de los vecinos en un contenedor [34].

—Adiós. Buenas noches a todos —se despide

Irene.

—¡Vaya señor! —dice Doña Carmela.

—Doña Carmeeela ...Usted siempre igual...

Del ascensor sale un estudiante catalán, que vive en el cuarto, junto con un señor mayor. El señor mira fijamente a Doña Carmela y le sonríe. Eso anima a la mujer que piensa: "Aún estoy bien. Los hombres me siguen mirando". De repente oye:

—Carmen... Carmela Sagasta. No lo puedo creer. ¿No me recuerdas?

—Pues no, en este momento...

—Antonio. Antonio Garriga.

—¡Antoñito! [35] ¡Cuánto tiempo!

Se abrazan.

—Mira, Carmela, éste es mi hijo Jorge. Vive aquí.

—¡No me digas! Yo también.

—Ibamos a cenar. ¿Por qué no te vienes con nosotros?

—Magnífico. Pero ¿qué hago con el perro y con esta bolsa?

—Yo se lo subo a casa —dice la portera—. Váyase tranquila.

—Gracias, Doña Josefa y hasta mañana.

Cuando la portera está a punto de cerrar el portal con llave [36], llega José. No parece de buen humor. Y no lo está. Acaba de ver a Irene con otro hombre. Ellos no lo han visto. "Soy un anormal, un auténtico anormal. Tenía que haberla llamado ayer, pero con lo de Sonia... Pero qué idiota soy. ¿Por qué no la llamé? O esta mañana, por ejemplo. A ver... ¿por qué no la he llamado esta mañana? Estoy enamorado, absolutamente enamorado de esa mujer pero no se lo he demostrado. Y, claro, ella se va con otro. Anormal, soy un anormal."

Clara está en el portal. José entra, da la luz [37] y la ve allí. No la saluda. Bastantes problemas tiene. Cuando José entra en el ascensor, ella entra también.

—¿Pero no te ibas? —le pregunta José.

—No.

—Vas al primero, ¿no?

—No, al tuyo. Al quinto.

—¿Al quinto?

No hay explicaciones. Clara aprieta el botón y los dos suben hasta el quinto.

—Ya sabes que en casa no tengo sal ni tabaco [38].

—¿Y quién te ha dicho que quiero sal o tabaco?

—Ah, ¿no? Como el otro día...

—Subo para estar contigo un rato...

José no está acostumbrado a este estilo directo y se sonroja.

—Y para —continúa Clara—... Y para que me digas qué hacías ayer cenando con una chica tan joven como yo.

A José le da risa, pero dice muy serio:

—Mira, niña, tengo casi treinta años más que tú, dos hijos más o menos como tú, miles de problemas y muchísimas ganas de estar tranquilo, ¿entendido? O sea que basta de meterte en mi vida.

Llegan al quinto. José tiene una sorpresa para Clara. Abre la puerta y le dice con sonrisa de actor de cine:

—¿Quieres pasar?

Clara entra.

—Espérame un minuto —le pide José y se va a buscar a Sonia.

Al cabo de unos minutos salen padre e hija. José la coge por el hombro.

—Sonia, te presento a Clara, una vecina.

Clara está a punto de llorar y gritar.

—Clara, ésta es Sonia, mi hija mayor.

"¿Lo he entendido bien? —piensa Clara—. ¿Ha dicho que es su hija?" Y dice tímidamente.

—¿Tú hija?

—Sí, soy su hija. ¿Por qué te sorprende tanto?

—Bueno, chicas, os dejo. Me voy a duchar. Ah, Clara, y no te metas más en mi vida. Ésta es mi hija, las otras, no. ¿Entendido?

A Clara no le ha gustado nada lo que ha dicho José pero por una vez decide callarse.

12

El Mercado de San Miguel [39] está lleno de público. Y las carnicerías, las pescaderías, las verdulerías y fruterías están llenas de productos. Todo está carísimo pero la gente compra y compra. En los supermercados hay pasillos enteros llenos de turrones, polvorones, champaña y cava [40]. Por todas partes se oyen conversaciones de este tipo:

—¿Cómo se presenta la Navidad?

—Pues como siempre, en familia.

A Doña Josefa, la portera, no le gustan nada estas fiestas por el lío de gente y los villancicos que suenan en la plaza y por la cantidad de cartas que le da el cartero y que ella tiene que poner en los buzones. Las cartas de Ricardo Solá las guarda aparte porque Ricardo perdió la llave del buzón. Hay otra cosa que no le gusta a la portera: los aguinaldos [41]. El basurero, los encargados de la limpieza de las calles, el sereno, el cartero, todos suben a los pisos para dar a los vecinos una horrible postal a cambio de un poco de dinero. Llega el cartero con un montón de cartas y le dice a la portera:

—Hoy voy a subir a todos los pisos para pedir el aguinaldo.

—Suba, suba —le dice la portera que está oyendo el sorteo de la Lotería [42] por la radio.

Hoy el cartero trabaja sistemáticamente. Empieza por el quinto derecha, luego va al quinto izquierda y va bajando. En casa de José Moyano está Maruja, la asistenta, que desde que Sonia vive allí trabaja dos días por semana:

—El cartero para felicitarle las fiestas.

—Tome —le dice dándole veinte duros [43].

—Gracias y feliz Navidad.

En casa de Ricardo Solá no hay nadie. El cartero tiene una carta certificada para él, pero, como no está, al salir le deja un aviso en el buzón. Es el segundo aviso, pero Ricardo no lo sabe. No tiene llave del buzón.

En el tercero izquierda el cartero se vuelve a encontrar con Cecilia, la psicoanalista argentina.

—Che, ¿vos otra vez? ¿Por quién preguntás esta vez? [44]

—Es para felicitarle la Navidad —le dice dándole la postal.

—A ver —Cecilia lee el texto en voz alta— "El cartero con amor le da esta felicitación". Lindo. Tomá y felices fiestas.

—Gracias, igualmente.

En el portal Doña Josefa sigue escuchando la radio.

"El gordo" todavía no ha salido. Media España está escuchando la radio. Por todas partes se oyen las voces de los niños de San Ildefonso: "El dos, el nueve, el tres..." Llega un chico con una enorme cesta [45].

—Buenos días, ¿el señor Muñoz en qué piso vive?

—En el primero izquierda.

Leopoldo Muñoz, el padre de Clara y de cuatro hijas más, es un conocido médico. Trabaja en una clínica privada y sus pacientes le mandan muchos regalos en Navidad.

En ese momento entra Doña Luisa Mendoza, la mujer del bingo. Viene de la compra.

—Hola, Doña Luisa —le dice la portera.— ¿Qué? ¿Ha comprado mucho?

—Muchísimo. En Nochebuena vienen todos a casa. Ocho para cenar, imagínese. Y qué precios, Dios mío, qué precios...

—Está todo carísimo, por las nubes [46]. Yo suerte que me voy a la Sierra [47], a casa de mi hermano y no tengo que cocinar.

—Pues sí es una suerte. Ah, por cierto, el otro día me dió una carta que no era para mí. Un momento a ver si la llevo en el bolso... Si, aquí está. Es para una tal Cecilia Blastein.

—Es la psicóloga del tercero izquierda. Yo se la daré. Gracias

"¿Psicóloga? —piensa Doña Luisa— ¿Ha dicho psicóloga? ¿Y si la voy a ver un día y le explico mi problema con el bingo?"

Media España sigue junto a la radio con sus décimos [(48)] de Lotería en la mano esperando el número del "gordo". La otra media está trabajando pero pensando en el premio.

José Moyano es de los que está trabajando, pero él no piensa en la Lotería. Sólo piensa en Irene. "¿Qué hacía con ese hombre...? ¿Y yo por qué no la llamé? ¿Y si la llamo ahora? No, no, ahora estará en el Instituto. La llamo esta noche. Eso, esta noche, ¿Y si se ha ido de viaje? No, porque su familia vive en Madrid... Pero ¿y si...? Y si... y si... Ya estoy harto. La llamo ahora mismo". Marca el número de Irene y descuelgan, pero no es ella sino su contestador.

—"Éste es el 437.66.80. En este momento no hay nadie en casa pero puedes dejar un mensaje después de la señal." Biiiiip.

—Irene. Soy José. Tengo ganas de verte. No te he podido llamar porque han pasado muchas cosas. Ya te contaré. ¿Hablamos esta noche? Por cierto, ¿qué hacías ayer paseando con un hombre a las diez de la noche? Hasta luego.

Al colgar, José está avergonzado. "¿Por qué he dicho lo del hombre? ¿Por qué? Irene va a pensar que estoy celoso. Yo, celoso... ¡bah! Pero sí. Estoy celoso, celosísimo. ¡Qué horror!"

Mientras José está grabando ese mensaje, Irene está vigilando un examen. Tiene muchísimo sueño porque ayer se acostó tarde. Fue una noche agradable: una buena cena, un paseo por el centro, una copa en "Chicote", una larga conversación, y luego cada uno a su casa. Cuando Irene llegó a su piso, se lanzó hacia el contestador automático. Había tres llamadas. Ninguna de José. Se acostó de mal humor.

Los estudiantes están terminando y ella sólo piensa en las dos del mediodía para llegar a casa y decidir fríamente si llama a José o no, si es mejor esperar o actuar. "Estás enamorada, nena, —se dice a sí misma—. Enamorada y asustada. Asustadísima." Un estudiante le ha preguntado algo, pero no lo ha oído.

—Perdona, ¿cómo dices?

—Qué cuándo nos va a dar las notas.

—Después de las vacaciones.

14

A todos los vecinos la portera les pregunta lo mismo:

—¿Qué? ¿Le ha tocado la Lotería?

Y todos contestan igual:

—Nada. Tenemos que esperar otro año.

A Ricardo Solá parece que sí le ha tocado porque llega cargado de paquetes.

—Don Ricardo, aquí tiene su correspondencia —le dice la portera dándole un montón de cartas y revistas médicas—. Esos paquetes no serán más instrumentos de música, ¿verdad?

—¿Por qué lo dice? —le pregunta Ricardo riéndose.

—No, por nada, pero es que algunos vecinos han protestado.

—¿Y por qué no me lo han dicho a mí?

—Algunos dicen que han llamado a la puerta pero que usted no los oye...

—¡Vaya! Si dicen algo, por favor, avíseme.

Sonia estaba esperando el ascensor y ha oído la conversación. Cuando entran Ricardo, sus paquetes y ella, Sonia le dice:

—O sea que tú eres el músico de la escalera...

—¿A ti también te molesta la música?

—Todavía no. Hace tres días que vivo aquí. Pero si me molesta, subo y te lo digo.

—De acuerdo. ¿Bajas?

—No, yo vivo más arriba, en el quinto. Hasta luego.

Esta noche Ricardo tiene una cena con los compañeros del Hospital. Ha comprado regalos para todos y ha preparado una canción especial para cantarles después de la cena. Ahora quiere ensayar un poco antes de cambiarse para ir a cenar.

Cuando lleva media hora tocando, suena el timbre. "Seguro que se equivocan", piensa. Abre. Es el barrendero que quiere felicitarle la Navidad. Le da doscientas pesetas. Vuelve a tocar. Un rato después vuelve a sonar el timbre. Es de abajo.

—¿Irene Vázquez, por favor?

"Otra vez, no", piensa Ricardo. Y dice con cierto mal humor:

—Es en el tercero. El timbre no funciona y suena en el cuarto. Mejor si sube y llama directamente a la puerta.

Vuelve a su música. El timbre otra vez. Se levanta y piensa "¿Ahora quién será?". Abre. Un japonés. "¿Éste también quiere felicitarme la Navidad?"

—¿Sí? —dice Ricardo.

—Buenas tardes. Soy el vecino de aquí delante. Usted realmente toca muy bien. Su música es muy, muy buena, excelente. Pero yo tengo un examen de español y necesito estudiar.

—Oh, lo siento. Es pronto y pensaba que no molestaba. Le pido que me perdone.

—¿Perdone? ¿Se dice: "le pido que me perdone"? ¿Por qué se pone un subjuntivo?

Ricardo no esperaba esta pregunta. La gente habla su lengua pero normalmente no sabe explicar cómo funciona. Ricardo no está seguro de entender la pregunta del japonés.

—¿Cómo "subjuntivo"?

—Sí, "perdone" es el presente de subjuntivo del verbo "perdonar". Y yo quiero saber por qué usted ha dicho: "Le pido que me perdone", en lugar de "le pido que me perdona".

—Pues, la verdad es que no lo sé. Se dice así. Todo el mundo lo dice así.

A Junichi esa explicación no le sirve. "Tiene que haber otra explicación. Lo voy a preguntar esta tarde en clase."

—Gracias —dice amablemente el japonés.

—Adiós y suerte en el examen.

—Ah, otra cosa. Si digo "una casita" significa casa pequeña, ¿verdad?

—Sí —contesta Ricardo un poco asustado.

—O sea que "ito" e "ita" sirven para decir que algo es pequeño, ¿no?

—Sí.

—¿Entonces por qué en los bares dicen "bocadillito" si los bocadillos son tan grandes?

—Lo siento, pero tampoco lo sé —dice Ricardo riéndose.

—No importa. Gracias.

Cuando Ricardo cierra la puerta está confundido. "No sé gramática. No sé nada de gramática. Tantos años estudiando en el colegio..." No puede ponerse a tocar para no molestar y decide prepararse un café y después ducharse. Le ha gustado el japonés. "Parece simpático".

15

Irene oye la voz de José en el contestador. "¡Por fin!", piensa. Y el mensaje también le ha gustado. "¡Está celoso! Yupiiiiii. Está celoso. Eso significa algo... Yupiiiiii"

Pero Irene tiene un nuevo problema: "¿Lo llamo yo o espero? ¿Y si no me llama? Seguro que llama. Y si a las diez no ha llamado, llamo yo."

Suena el teléfono. "¡Él!". Pero es su madre.

—Ah, hola, mamá, ¿qué tal?

—Te llamo para recordarte la cena de Nochebuena...

—Me acordaba, mamá. Te aseguro que me acordaba.

—Por si acaso. Como tú te olvidas de todo...

—¿Llevo algo?

—No, ya lo tengo todo. Voy a hacer col lombarda y besugo al horno. Y un poco de marisco de aperitivo. Tu hermana Julia va a traer turrones y champán. A su marido le han regalado muchas cosas.

Todos los años su madre, como casi todos los madrileños, hace la misma cena, y todos los años explica que al marido de Julia le han regalado muchas cosas. Está orgullosa de su yerno, un ingeniero de buena familia.

—¿A qué hora hay que ir? —le pregunta Irene cambiando de tema.

—Pronto. A eso de las nueve o nueve y media. Luego queremos ir a "Misa del Gallo".

"Enseguida van a empezar los problemas", piensa Irene.

—Tú, claro —continúa la madre—, este año tampoco piensas ir a Misa, ¿no?

—Ya hemos hablado de eso, mamá. Oye, ¿qué puedo regalarle a papá?

—Es muy difícil porque tu padre tiene de todo.

Irene se había olvidado de que su madre siempre contestaba eso.

—Bueno, pues buscaré algún libro interesante.

—En casa ya no tenemos sitio para poner más libros.

Cuando cuelga, está agotada. Se prepara un té y unas tostadas, pone un poco de música y se sienta a leer el periódico y a esperar la llamada de José.

16

Suena el tiembre y Sonia va a abrir. Es Clara.

—Hola, Sonia. He venido para charlar un rato contigo.

—Estupendo, pasa, pasa. Estaba merendando. ¿Quieres tomar algo?

Sonia no sabe que Clara está enamorada de su padre, ni sabe que lo persigue y tampoco sabe que Clara está ahí, sobre todo, para volverlo a ver.

Meriendan, ponen música, hablan de los estudios, de sus amigos, de las discotecas y bares de moda. A las dos les gustan las mismas cosas y, además, las dos estudian el mismo curso. "Fantástico —piensa Clara— Puedo venir a estudiar aquí por las noches... Mmmm."

36

José llega cansadísimo. Ha trabajado muchísimo y, además, está nervioso por lo de Irene. La piensa llamar después de cenar. Cuando abre la puerta de su casa, oye hablar a Sonia. "Otra vez está hablando por teléfono. ¡Qué afición! Con lo pesado que es el teléfono...". Pero al entrar en el salón ve a Clara sentada en su sillón. "Dios mío, otra vez esta cría... En mi casa, en mi sillón, en el mío, y con mi hija..."

—Buenas noches, señoritas —dice un poco serio—. Yo tengo muchas ganas de cenar y de ver tranquilamente la tele. O sea que...

—Ahora mismo hacemos la cena.

No lo ha dicho Sonia. Lo ha dicho Clara.

—Tú, señorita, te vas ahora mismo a tu casa a cenar. Mi hija y yo haremos nuestra cena. Cocinamos muy bien, ¿sabes? No necesitamos ayuda.

—Papá, es que he invitado a Clara a cenar con nosotros. ¿Te importa?

José quiere decir: "Sí, me importa muchísimo. Estoy harto. Necesito estar solo y no ver más a esa mujer. Quiero hablar con Irene. Quiero..." Pero dice:

—¿Has hablado con tus padres?

—Sí, y me han dicho que sí, que me puedo quedar.

—Está bien. Yo me voy a la ducha. Vosotras preparáis la cena y yo hago dos o tres llamadas de teléfono desde mi dormitorio.

Un cuarto de hora después José cierra la puerta de su dormitorio con llave. "Si no cierro, esa chica entra, seguro" y llama a Irene.

—¿Diga?

—¿Irene? Soy José.

—¿Qué tal? Ya he oído tu mensaje.

—Lo siento, soy un poco brusco a veces. Es que cuando te vi ayer con ese hombre...

—Un amigo de hace muchos años.

—Lo siento de verdad.

—Yo pensaba que ya no te acordabas de mí...

—Han sido unos días horribles. Mi hija ha decidido venir a vivir conmigo y ya se ha trasladado. Y, además, he tenido muchísimo trabajo. Suerte que me voy a esquiar estos días.

"¡Vaya! —piensa Irene— Éste esquiando y yo con la familia todo el tiempo."

—¿Y cuándo te vas? —pregunta.

—Del veintitrés al veintisiete. El veintisiete vuelvo. ¿Quieres venir? Voy a Sierra Nevada [49]. Tengo un apartamento alquilado.

Irene no lo puede creer. "Creo que me ha preguntado si quiero ir con él a esquiar. Con él, a esquiar."

—Es que yo no sé esquiar — contesta Irene.

—No importa, yo te enseño.

—Y hay otro problema.

—¿Cúal?

—La Nochebuena tengo que pasarla con la familia.

—¿Y por qué no te vienes el veinticinco y pasamos dos días juntos?

—Oye, José, ¿por qué no bajas a cenar a mi casa y hablamos de todo esto?

—Perfecto. Ahora mismo bajo.

José sale contentísimo de su dormitorio. Parece otro hombre. Mira a Clara y a Sonia sentadas en la mesa delante de una enorme bandeja de "spaguettis".

—Lo siento, chicas —les dice—. Hoy no puedo cenar con vosotras.

Y se va. Clara se ha vuelto a enfadar.

17

La mañana del veinticuatro de Diciembre pasa muy rápidamente. Todo el mundo quiere terminar su trabajo para ir a casa a arreglarse o hacer las últimas compras, a preparar la cena o recoger a la familia para trasladarse a otro lugar.

Ricardo Solá acaba de cerrar la maleta y llama a Radio Taxi:

—Señorita, quería un taxi para la calle Mayor a la altura del número 7. Luego vamos a ir al aeropuerto.

—¿Su teléfono?

—266.10.87

—¿A nombre de quién?

—De Ricardo Solá. ¿Cuánto puede tardar?

—Unos diez minutos.

—Está bien. Gracias.

Antes de salir de casa, Ricardo apaga las estufas, [50] coge su maleta y su abrigo y cierra con llave. En el portal se encuentra a la portera:

—¿Qué Don Ricardo? ¿De viaje?

—Sí, me voy a Barcelona, a pasar estos días con mi familia.

—Bueno, pues que tenga buen viaje y feliz Navidad.

—Feliz Navidad para usted también... Ah, me olvidaba, esto es para usted —Ricardo le da un sobre con dos mil pesetas.

—Gracias, Don Ricardo. Es usted muy amable.

—De nada, Josefa, de nada. Gracias a usted.

Baja de la Plaza hasta la calle Mayor y espera la llegada del taxi.

—Hola, buenas tardes. Al aeropuerto, por favor.

—¿Por dónde quiere que vayamos? [51] —pregunta el taxista.

—Por donde quiera. Supongo que el tráfico está muy mal.

—¿Mal? Está horrible. Hace un rato he estado tres cuartos de hora para ir de Cibeles a Atocha [52]. Yo es que no lo entiendo. Tanto comprar y tanto comer... Total, ¿para qué? Para gastarse la paga [53].

—Sí, estamos todos un poco locos —dice Ricardo por decir algo.

—¿Un poco, dice? Estamos loquísimos. Y espérese, que luego vienen los Reyes y, hala, otra vez a gastar.

El taxista habla durante todo el trayecto. Al llegar a la entrada del aeropuerto le pregunta a Ricardo.

—¿Salidas Nacionales o Internacionales?

—Nacionales. Voy al Puente Aéreo [54].

Una vez en el aeropuerto, después de facturar su maleta y con la tarjeta de embarque en el bolsillo de la chaqueta, Ricardo va al quiosco. Leer revistas es una de sus aficiones favoritas y se compra cinco o seis sin pensar que el vuelo dura cincuenta minutos.

Llaman a los pasajeros con destino a Barcelona. Ricardo entra en el avión y busca su asiento, el 23 F. Una mujer de unos treinta y cinco años, se acerca por el pasillo. "Ojalá se me siente al lado esta belleza", piensa Ricardo. Y así es: la mujer se sienta en el 23 E. Ricardo olvida sus revistas y empieza a pensar una excusa para hablar con ella. En ese momento la azafata dice por el altavoz: "Bienvenidos señores pasajeros al vuelo 525 con destino a Barcelona." Y entonces Ricardo se oye decir:

—¿Vas a Barcelona?

La chica lo mira un poco extrañada, pero ese hombre le parece simpático y contesta con mucho sentido del humor.

—¿A Barcelona? ¿Pero éste no es el vuelo para Madagascar?

Se ríen y empiezan una animada conversación.

18

—¿Y qué va a hacer una madrileña en Barcelona un día como hoy? —le pregunta Ricardo.

—Es que mi novio es catalán y voy a pasar estos días con él. ¿Y tú qué haces en Madrid?

—Trabajo en el Gregorio Marañón [55]. Soy médico.

—¿Y qué tal estás en Madrid?

—Muy bien, la verdad. Es bastante distinto a Barcelona, pero estoy muy bien.

—¿Distinto?

—Sí, mucho. Por ejemplo, las cafeterías. En Barcelona en las cafeterías tomas café, algún bocadillo o algún croissant. Pero en Madrid... En Madrid tienes churros, bollos, tartas, bocadillos de todo tipo, aperitivos a partir de la una... Una maravilla.

—Te gusta comer, ¿eh?

—Me encanta... Y, el ritmo de la ciudad es completamente distinto. En Madrid todo empieza más tarde, se come más tarde, después de comer se empieza a trabajar más tarde...

—Y todo el mundo llega con retraso a las citas.

—Exacto. En Barcelona eso no pasa nunca. Yo

creo que los barceloneses somos más puntuales que los madrileños, bastante más puntuales... Y otra cosa: en Madrid la gente habla mucho más alto que en Barcelona.

—¿Es cierto?

—De verdad. Fíjate. Bueno, y luego está el clima... Hace tanto calor en Madrid en verano... En Barcelona hace muchísimo menos...

—Sí, pero es muy húmedo... Y a mí me molesta mucho la humedad.

—Eso sí. ¿Es la primera vez que vas a pasar la Navidad a Barcelona?

—Sí, la primera vez.

—Ya sabes que estas fiestas también son diferentes...

—¿Ah, sí? ¿En qué?

—Bueno, en Cataluña [56] no se celebra mucho la Nochebuena, sino el día de Navidad. En Madrid la Nochebuena es lo más importante, ¿no?

—Sí, sí, es la gran cena familiar.

—Pues en Barcelona es el veinticinco al mediodía. En Nochebuena no se hace nada especial. Hay gente que va a Misa del Gallo y luego, al volver, toma un poco de champaña, turrón..., pero nada más.

—¡Qué curioso! Yo, la verdad, a los catalanes los veo muy serios. Me gustan mucho, pero me parecen muy serios...

—¿Tu novio también?

—Menos. Como tú, más o menos.

De nuevo la voz de la azafata: "Señores pasajeros dentro de unos momentos tomaremos tierra..."

—Oye, ¿por qué no me das tu teléfono y te llamo

Entrada a la Plaza Mayor por el Arco de Cuchilleros.

algún día?

—Perfecto. Toma nota. Ricardo Solá Lamoclia.

—¿La qué?

—Lamoclia. Plaza Mayor, uno.

—¿Vives en la Plaza Mayor, uno? Mi mejor amiga vive allí.

—¿En serio? ¡Qué casualidad!

—A lo mejor la conoces. Se llama Irene Vázquez y es profesora.

—Me parece que ya sé quien es. —Ricardo se acuerda de su problema con el timbre—. Una chica de tu edad, no muy alta, morena y con el pelo corto...

—Ésa.

—Sí, la he visto alguna vez en el ascensor. El mundo es un pañuelo [57]. ¿eh?. Bueno, te doy el teléfono: el 266.10.87. ¿Me das el tuyo?

—Claro. Me llamo Begoña García. Y el teléfono es el 360.77.03. Pero casi siempre estoy en el despacho.

—¿A qué te dedicas?

—Soy abogada. Me dedico al derecho civil, sobre todo.

—¿Separaciones y esas cosas?

—Y esas cosas... Apunta el del despacho. Es el 215.15.10.

19

El veintiocho de Diciembre es el día de los Santos Inocentes. Los niños se dedican a colgar muñecos de papel en la espalda de la gente y muchas personas pasean por las calles sin saber que llevan un muñeco colgado en el abrigo [58].

Clara ha decidido hacerle una broma a José. Sube a ver a Sonia y se lo cuenta. Tienen que hacerle la cama de una manera especial y, así, cuando José llegue por la noche, no va a poder meterse dentro.

—¡Qué divertido! —dice Sonia.

—Sí, ¿verdad? Pero no le digas nada, ¿eh?

—No, no, yo no le digo nada.

Tres pisos más abajo, en el segundo, Doña Luisa Mendoza de Fernández, la mujer del bingo, está muy preocupada. No quiere volver a jugar pero necesita hacerlo. Suena el timbre.

—¿Doña Luisa Mendoza? —pregunta el cartero

—Sí, soy yo.

—Una carta certificada para usted.

Doña Luisa se extraña. A ella no le escribe nunca nadie. Firma, recoge la carta, cierra la puerta y mira el sobre. Es del bingo "El azar". Abre y lee. En la carta la felicitan por ser la jugadora que más dinero ha ganado este año y le anuncian que le van a enviar un premio por correo: una enorme copa de plata con una dedicatoria: "A Luisa Mendoza por su amor al juego".

"No puede ser. Tengo que arreglarlo. Esto no puede ser. Y esa copa... Dios mío, Miguel se va a enterar..."

—¿Quién era, Luisa? —pregunta Miguel, su marido, desde el comedor.

—Nada, el cartero. Traía una carta pero no era para nosotros —miente Luisa escondiendo el sobre.

"Ya es la una... Tengo que hablar con el cartero. Con el cartero y la psicóloga..."

—Miguel, bajo un momento a comprar —dice Doña Luisa a su marido.

Doña Luisa baja por las escaleras.

—¿Ha visto al cartero, Doña Josefa?

—Se acaba de marchar.

—Gracias.

Y sale corriendo. Lo ve al otro lado de la plaza y va hasta allá.

—Perdone, me acaba de dar una carta. No sé si se acuerda... En el segundo del número uno.

—Sí, me acuerdo perfectamente.

—Es que, mire, van a mandar un paquete certificado a mi nombre ¿sabe? Y es una sorpresa. No quiero que mi marido se entere. O sea que cuando llegue, me lo da a mí, pero sólo a mí, ¿eh? Ni a la portera ni a mi marido ni a nadie, por favor. Sólo a mí.

—De acuerdo. Sólo a usted.

—Gracias.

Doña Luisa se queda más tranquila. No sabe que ese cartero se equivoca muchas veces.

Va un momento al quiosco de Paquito, junto al Mercado de San Miguel, le compra el ABC a su marido y se compra "Diez Minutos" [60] para ella. Cuando llega a su escalera, decide subir al tercero izquierda, a casa de Cecilia Blastein, la psicóloga argentina.

—¿Sí? —dice Cecilia después de abrir la puerta.

—Perdone la molestia. Soy Luisa Mendoza. Vivo en el segundo. Me he enterado de que usted es psicóloga y yo tengo un problema muy grave. ¿Podría darme hora para hablar un día con usted?

—Por supuesto. Pase un momento, que voy a buscar mi agenda.

Cecilia vuelve con la agenda.

—¿Es urgente?

—Yo creo que sí.

—¿Qué tal el día dos a las cuatro de la tarde?

"Si vengo aquí a las cuatro no voy a poder ir al bingo…", piensa Doña Luisa. Pero dice:

—Bueno, sí, el día dos a las cuatro.

—Pues hasta entonces.

—Gracias, y hasta el día dos.

20

Últimamente cada vez que José llega a casa se preocupa: "¿Estará Clara? ¿Qué pasará hoy?". Algunas noches Clara se ha quedado a cenar y, a veces a dormir. Esas noches José, asustado por lo que puede pasar, cierra la puerta de su dormitorio con llave. No quiere líos.

Al abrir la puerta oye la voz de Clara, hablando con Sonia. "Oh, no… Otra vez."

Clara está especialmente simpática esta noche. "Fatal —piensa José—. La prefiero enfadada."

—¿Qué tal el día, José?

—Muy bien. Perfecto. Todo maravilloso.

—Me alegro. Nosotras también hemos estado muy bien.

—Papá, te hemos preparado una cena estupenda —dice Sonia. Hemos ido al supermercado de "El Corte Inglés" y hemos comprado muchísimas cosas: salmón, quesos,…

—¿Cuánto? pregunta José de malhumor.

—¿Cuánto qué?

—Que cuánto dinero te has gastado.

—No mucho. No me acuerdo muy bien… Lo he pagado con tarjeta.

Una de las preguntas que más veces hace José a

su hija es ésa: "¿Cuánto?. A veces significa cuánto ha gastado, a veces cuánto necesita. "¡Hijos!", piensa José.

—¿Sabes una cosa? —continúa Sonia— Mañana vamos a estar toda la tarde ensayando con el vecino del cuarto...

—¿El músico?

—Sí. Queremos crear un conjunto. Se va llamar "Great square, one"

—Muy original...

—Y la noche de fin de año tenemos nuestra primera fiesta. Estás invitado.

—¿Váis a organizar algo para dentro de tres días? ¿En serio?

—Ya lo verás. Te esperamos.

—¿Tú también vas a ir? —le pregunta José a Clara.

—Claro.

—¿Y te van a dejar tus padres?

—Muy gracioso... —dice Clara enfadada de nuevo.

Empiezan a cenar los tres. La cena es realmente buenísima. Clara y Sonia se ríen de vez en cuando pensando en la llegada de José a su cama, especialmente preparada para no poder entrar en ella.

A eso de las once suena el teléfono.

—¿José? Soy Irene. Quería saber qué tal estabas.

—Bien, muy bien. Estoy terminando de cenar. ¿Por qué no subes a tomar café?

—Ah, pues sí. Ahora mismo subo.

Diez minutos después Irene llama al timbre.

—¿Quién será? —pregunta Clara.

—¿Te lo digo? —le dice José bromeando—. Pues o es mi novia o es el vampiro de la Plaza Mayor uno.

Cuando entra Irene, Clara piensa: "Es el vampiro de la escalera". Y es que, para Clara, Irene es su peor enemiga.

Sonia e Irene se entienden bien. Han estado dos días esquiando con José y lo han pasado muy bien los tres juntos.

—Niñas, ¿por qué no preparáis un café? —les sugiere José.

—Ya no somos niñas —contesta Clara de muy mal humor, pero se va a la cocina.

Un rato después llega el café. Clara parece de mejor humor y le pregunta a Irene:

—¿Quieres un poco de leche?

—Sí, por favor.

Clara se acerca con la jarra pero, en lugar de echar la leche en la taza, la echa directamente sobre los pantalones de Irene.

—Uy, perdona. ¿Te he manchado?

Irene no contesta. Se ha dado cuenta de que no ha sido una casualidad. Nadie dice nada. De repente se oye a José:

—Irene, tengo una idea genial, absolutamente genial. Bajamos a tu casa, te cambias y tomamos tranquilamente un café, tú y yo solos en tu casa.

—Genial, José, realmente genial —contesta, riéndose, Irene.

Se levantan y van hacia la puerta. Antes de irse José le dice a Clara:

—Esta noche no dormiré aquí.

Cuando se cierra la puerta, Clara empieza a llorar.

El sábado por la mañana dos policías entran en el portal y llaman a la portería. Doña Josefa se asusta cuando los ve. La policía nunca anuncia nada bueno.

—Buenos días, ¿qué desean?

—¿Ricardo Solá vive aquí?

—Sí, en el cuarto derecha. ¿Por qué lo buscan? ¿Ha hecho algo malo? —para ella cualquier ocasión es buena para informarse de la vida de los vecinos.

Los policias no contestan, le dan las gracias y suben al cuarto.

Ricardo está en su casa con Junichi Murata, el japonés. Lo ha llamado porque uno de sus nuevos teclados tiene las instrucciones sólo en japonés y necesitaba la ayuda de Junichi.

—Aquí pone que tienes que tener cuidado con... No sé cómo se llama en español... Es eso que sirve para... ¿Cómo se dice?

En ese momento suena el timbre. "Seguro que se equivocan —piensa Ricardo— y preguntan por Irene Vázquez." En la puerta hay dos policías.

—¿Es usted Ricardo Solá?

—Sí, soy yo.

—Tiene que acompañarnos a Comisaría [61].

—¿A Comisaría? ¿Ha pasado algo?

—Está usted denunciado por molestar a los vecinos. Le hemos mandado dos cartas certificadas y usted no se ha presentado en Comisaría.

—A ver, perdón, ¿cómo dice? ¿Dos cartas certificadas? Yo no he recibido ninguna.

—Eso es imposible. El cartero las ha tenido que traer personalmente. Si usted no está, le deja un aviso.

—¿Un aviso? Le aseguro que no he recibido

nada. Ni las cartas ni los avisos.

—Pues lo sentimos mucho pero tiene que acompañarnos a Comisaría.

—Está bien. Un momento, que cojo el abrigo.

Junichi está en el salón. No ha visto a los policías ni ha oído nada.

—Junichi, me tengo que ir un momento a la Comisaría. Nos vemos esta tarde.

—¿Comisaría? ¿Qué es "comisaría"? ¿Es un sitio para comer?

—Ahora no tengo tiempo. Te lo explico luego, ¿vale?

—De acuerdo.

Al salir Junichi ve a los policías y se acuerda de repente de lo que es una comisaría. Él ha tenido que ir algunas veces para arreglar sus papeles.

Cuando la portera ve salir a Ricardo con los policías le pregunta:

—¿Necesita algo, Don Ricardo?

—No, no, Josefa. No pasa nada. Hasta luego.

—Que le vaya bien.

22

Cuando Doña Carmela saca a pasear el perro, Doña Josefa le cuenta toda la historia a su manera.

—¿Sabe, Doña Carmela? Han venido dos policías a buscar al médico del cuarto... Ése que está todo el día tocando y tocando. ¡Qué horror! Yo les he preguntado que por qué lo buscaban y no me han contestado. Nada, no me han dicho nada. Seguro que es algo muy grave, muy grave. Drogas o algo así.

—Pero, mujer, ¿por qué piensas eso? Es un chico serio. ¡Un médico! Seguro que es una tontería, ya verá.

—Usted lo dice porque a usted le gustan mucho los hombres. Pero a mí me da miedo. ¿Y si es un drogadicto?

—Usted ve demasiado la televisión. Esto, Doña Josefa, no es "Falcon Crest".

Un rato después llega el padre de Clara, el doctor Muñoz, y le pregunta a la portera:

—¿Qué ha pasado, Doña Josefa? Me han dicho mis hijas que ha venido la policía a la escalera y que se han llevado a un hombre.

—Sí, ha sido horrible. Han detenido al chico del cuarto, ése que es médico como usted. ¡Qué barbaridad! ¡Qué diferencia! Usted es un médico serio, pero él...

—¿Pero por qué lo han detenido?

—Seguro no lo sé. Pero a mí me parece que debe ser por drogas o algo así.

Se oye una voz de hombre:

—Lo han detenido porque yo lo he denunciado.

Es Miguel Fernández, el marido de Doña Luisa Mendoza, la mujer del bingo.

—Lo denuncié hace casi un mes. No se puede permitir eso de la música. Todas las tardes y todas las noches del año tocando y tocando, molestando a los vecinos...

Doña Josefa está un poco avergonzada. Ricardo no era un drogadicto. Sólo es un músico aficionado, un músico en sus horas libres, un músico que molesta a algunos vecinos.

Tres horas después todo está arreglado. Cuando

Ricardo vuelve la portera le dice:

—Ay, Don Ricardo, cómo me alegro de verlo.

—Mujer, no exagere. Una pregunta: ¿el cartero le ha dado alguna carta certificada o algún aviso oficial para mí?

—No, Don Ricardo. Todo lo que me ha dado, se lo he dado yo a usted.

—Pues no lo entiendo... ¡El buzón! ¿No estarán en el buzón?

—Ay, Don Ricardo, yo eso no lo sé...

—¿Tiene un destornillador? Voy a intentar abrirlo.

Allí estaban los avisos. El cartero había llamado dos veces. O más, pero ni Ricardo ni la portera lo sabían.

—En fin... —dice Ricardo—. Mala suerte.

23

Esa misma tarde Ricardo llama a Sonia.

—¿Diga?

—¿Sonia? Hola, soy Ricardo, el vecino del cuarto.

—¿Qué tal? Todavía no he terminado de estudiar, pero subo enseguida a ensayar.

—No va a haber fiesta, Sonia.

—¿Por qué?

—Un vecino me ha denunciado. Dice que molesto con la música. Esta mañana ha venido la policía, he tenido que ir a la Comisaría y hemos llegado a un acuerdo. Tengo que insonorizar la habitación o irme a tocar a otro sitio.

—¡Vaya! ¡Qué lío! ¿Y qué vas a hacer?

—Escribir una carta a los Reyes Magos [63] Les voy a pedir dinero para insonorizar la habitación.

—¡Buena idea! Oye, ¿y por qué no nos vamos a pasar la Nochevieja a la Puerta del Sol?

—Perfecto. Nos llamamos el treinta y uno y quedamos.

En casa de Ricardo suena el timbre. Es Junichi Murata que quiere saber cómo está Ricardo.

—En fin... —dice Ricardo después de explicar otra vez la historia de la Comisaría— Mañana será otro día [64].

—¿Cómo? Todos los días son otro día, ¿no?

—Sí, sí, pero en español decimos eso cuando hoy ha sido un mal día.

—Ah, no lo sabía. Contigo voy a aprender mucho español, creo.

—No sé, no sé... Yo tengo mucho acento catalán. Y un japonés con acento catalán puede ser un poco raro.

A última hora de la tarde, Ricardo Solá baja al segundo izquierda para hablar un momento con Miguel Fernández. Doña Luisa Mendoza, su mujer, abre la puerta.

—¿Sí?

—Soy Ricardo Solá, el vecino del cuarto derecha, y quería hablar con su marido.

—Un momento, por favor. Voy a avisarle.

Unos minutos después sale el señor Fernández.

Es un hombre bajito, bastante calvo, con gafas y bigote. Lleva una bata a cuadros y zapatillas también a cuadros.

—Perdone la molestia, señor Fernández —dice Ricardo—. Soy el vecino del cuarto. Esta mañana ha

Puerta del Sol.

venido la policía a mi casa porque usted ha puesto una denuncia contra mí.

—Efectivamente. Así es.

—Bien, vengo a disculparme. Yo no sabía que molestaba. Lo siento mucho. De todos modos, usted podía subir a casa a avisarme...

—Subí dos veces. Pero usted no oyó el timbre.

—Es que con la música...

—Y entonces decidí avisar a la policía... Han tardado casi un mes...

—Es que ha habido un problema con el cartero...

Doña Luisa, que estaba en la cocina, ha oído la última frase de Ricardo: "Díos mío —piensa—. ¡Un problema con el cartero...!"

—Dejaba los avisos en el buzón... Pero yo no tengo la llave...

En fin, lo siento de verdad. No volverá a pasar.

—Eso espero.

"¡Qué hombre tan antipático", piensa Ricardo, pero se despide amablemente.

24

A partir de las diez de la noche del 31 de Diciembre, la Puerta del Sol [65] se va llenando de gente. Todos llevan champaña y bolsitas con doce uvas [66]. La mayoría canta, baila y bebe, esperando las doce campanadas.

En la escalera de la Plaza Mayor, uno, cada vecino tiene su manera especial de pasar la noche de fin de año. La portera, Doña Josefa, mirando la televisión. Doña Carmela Sagasta piensa tomar las uvas y una copita de champaña y, luego, acostarse tranquilamente: "A esta edad hay que cuidarse". La familia Muñoz se ha ido fuera, a una casa que tienen en Benidorm [67], pero Clara se ha quedado con Sonia para ir con Ricardo y el japonés a tomar las uvas a la Puerta del Sol y, luego, a bailar a alguna discoteca. Doña Luisa Mendoza y su marido están invitados a casa de unos amigos, en el barrio de Argüelles [68]. Cecilia y su marido, Alberto José, han organizado una cena para todos sus amigos argentinos que viven en Madrid. El piso de estudiantes está vacío, se han ido todos a sus casas. Y José Moyano e Irene Vázquez están en casa de Irene, por fin solos, terminando de cenar.

Suenan unas campanadas: "Ding, dong, ding, dong".

—No, todavía no te comas las uvas —dice media España a la otra media—. Todavía no son las campanadas.

"Dong"

—Ahora.

Y durante unos segundos todo el país está callado, comiendo una uva detrás de la otra...

—Feliz Año Nuevo —dice el presentador de televisión.

—Feliz año —se desean unas personas a otras. Hay besos, abrazos, más besos.

Ricardo felicita a Junichi, su nuevo amigo japonés y le dice:

—"Año nuevo, vida nueva" [69].

—Mañana será otro día. Año nuevo, vida nueva... ¡Qué país!

NOTAS EXPLICATIVAS

(1) *El belén* es un conjunto de figuras que representan el nacimiento de Jesús y que muchos españoles instalan en el salón durante los días de Navidad.

En algunos lugares de España se aprovechan estas fiestas para hacer bromas a los amigos por lo que es tradicional comprar bigotes y narices postizos, caretas, confeti, etc.

Las canciones de Navidad se llaman *villancicos*.

(2) En la enseñanza las vacaciones de Navidad empiezan alrededor del 20 de diciembre y terminan en torno al 8 de enero.

(3) En casi toda Cataluña, Comunidad Autónoma situada al noreste de España, el día de Navidad se come un guiso de pollo con ciruelas, uvas pasas y piñones, mientras que en otras regiones españolas lo habitual es comer besugo, cordero asado o pavo.

(4) *Bonita,* como vocativo, es una expresión afectiva muy frecuente entre mujeres.

(5) *No se qué* es una expresión que se utiliza para indicar ignorancia respecto a una parte de la información. Por ejemplo: *Ha dicho no se qué de la reunión de hoy.* En la novela Irene ignora el segundo apellido de José.

(6) En español se llama *Príncipe azul* al hombre perfecto, guapo, rico y bueno, con el que se casan las heroínas de los cuentos.

(7) El parque de El Retiro está situado en el centro de Madrid. En él hay salas de exposiciones, como el Palacio de Cristal y el Palacio Velázquez, así como espacios dedicados al ocio.

(8) En relación de confianza es muy frecuente despedirse telefónicamente diciendo: *un beso* o *un abrazo.*

(9) *Ir (directamente) al grano* es una expresión frecuente para indicar que alguien plantea inmediatamente el tema que le interesa.

(10) *Instituto de Bachillerato* es el nombre que reciben los centros públicos en los que se imparte la enseñanza secundaria.

(11) La enseñanza secundaria se llama, en España, *B.U.P.* (Bachillerato Unificado Polivalente) y tiene tres años de duración.

(12) *Estar en el paro* es la expresión más frecuente para referirse a las personas que, en edad de trabajar, están sin empleo.

(13) *Tener mundo* es una expresión que significa que alguien tiene mucha experiencia.

(14) *Telediario* es el nombre que reciben los programas informativos de Televisión Española. El del mediodía, a las tres, y el de las ocho y media de la noche son los de mayor audiencia.

(15) Esta serie norteamericana de televisión es una de las que ha obtenido mayores cifras de audiencia en España en los últimos años.

(16) *¡Jesús!* es una expresión, muy usada entre mujeres, que puede indicar sorpresa, alivio, preocupación, etc., pero que carece de connotaciones blasfemas.

(17) *La merienda* se toma en España a media tarde y es una práctica muy generalizada entre los niños, frecuente entre las amas de casa acomodadas y prácticamente inexistente en el resto de la población.

(18) *Hija*, como vocativo, es una expresión afectiva frecuente en relaciones de mucha confianza.

(19) *El bingo* es un juego de azar. Cada jugador compra uno o varios *cartones* en los que figuran una serie de números. De un bombo se van extrayendo los números a medida que salen. Gana, el jugador que logra completar primero los números de su cartón.

(20) Los jugadores con mucha experiencia suelen ir completando más de dos cartones a la vez.

(21) Cuando se completa toda una línea de números de izquierda a derecha por primera vez, lo que se llama una *línea*, se obtiene un premio menor que el del bingo.

(22) En la mayor parte de los pisos, además de tener conserje o portero durante el día, hay portero automático. El aparato que sirve para hablar con las personas que están en el portal se llama *telefonillo*

(23) Chile estaba gobernada por la *Unidad Popular*, una coalición de partidos de izquierda, presididos por el socialista Salvador Allende. El 11 de Septiembre de 1.974 este gobierno escogido democráticamente fue derrocado por un golpe de estado protagonizado por el General Pinochet. A partir del golpe muchas personas comprometidas con el régimen de Allende tuvieron que exiliarse para evitar su detención y, en muchos casos, la muerte.
Lucho es una forma afectiva, muy frecuente en muchos países de Hispanoamérica, del nombre Luis.

(24) En los pisos más antiguos de las ciudades españolas, hay, en la planta baja, una vivienda para los porteros. En los edificios modernos, en lugar de portero hay conserjes. Los conserjes trabajan por la mañana y por la tarde y no tienen vivienda en el edificio.

(25) El día 6 de enero se celebra en España la fiesta de los Reyes Magos. Tres Reyes de Oriente, Melchor, Gaspar y Baltasar, que la noche del día 5 dejan regalos a los niños en sus casas.

(26) Se llama *Nochebuena* a la noche del 24 al 25 de Diciembre, el momento más importante, en casi toda España, de las fiestas de Navidad. La *Misa del Gallo* se celebra a las doce de la noche del día 24. Las familias católicas más tradicionales suelen acudir a ella.

(27) Uno de los significados de *salir* con alguien es el de mantener relaciones amorosas.

(28) Entre amigos de sexo contrario es habitual en España saludarse y despedirse con dos besos. Entre mujeres también se dan dos besos. Los hombres se suelen dar la mano o un abrazo. Mientras que con los miembros de la familia lo habitual es darse un sólo beso.

(29) Frase hecha que suele emplearse tras haber recibido un elogio o un piropo en relaciones de mucha confianza.

(30) *Ser un Don Juan* significa ser un seductor, tal como lo fue Don Juan Tenorio, obra teatral de Zorrilla, que es un clásico de la literatura española.

(31) *Enhorabuena* es una felicitación específica para cuando alguien anuncia su boda o el nacimiento de un hijo.

(32) El Madrid de los Austrias es una importante zona madrileña construida durante el reinado de la dinastía de los llamados "Austrias": Carlos I, Felipe II, etc. (siglos XVI, XVII y XVIII), llena de palacios y monumentos, entre los que se encuentran la Plaza Mayor (año 1627), la Plaza de la Villa, etc.

(33) *El Corte Inglés* son los grandes almacenes más importantes de España.

(34) En muchos edificios el portero o conserje es el responsable de recoger la basura de los inquilinos y, luego, después de almacenarla en grandes depósitos, la deja en la calle para que durante la noche la recojan los basureros.

(35) Es muy frecuente que a los nombres de los niños la familia les añada el diminutivo −*ito/a*. Doña Carmela llama *Antoñito* a Antonio Garriga porque lo conoce desde la infancia o adolescencia.

(36) Entre las nueve y media y diez de la noche los porteros y conserjes terminan su trabajo y cierran los portales con llave.

(37) En los edificios antiguos la escalera está sin luz desde las diez de la noche. En cada piso, incluída la planta baja, hay un interruptor para encenderla durante unos minutos.

(38) En la novela anterior, *El vecino del quinto*, Clara ha subido varias veces a casa de José a pedirle sal y tabaco, una excusa para verlo y hablar con él.

(40) Tanto los *polvorones* como los *turrones* son postres típicos navideños que se consumen exclusivamente en esas fechas. Los turrones están compuestos fundamentalmente de almendras mientras que los polvorones son una masa de harina, azúcar y manteca. El *cava* es un vino espumoso, parecido al "champagne" francés, que se produce en Cataluña.

(41) *El aguinaldo* es una propina que se suele dar en Navidad a las personas que realizan servicios públicos: carteros, barrenderos,

basureros, etc. Estos trabajadores van por las casas solicitándolo. A cambio, entregan una especie de crisma en el que felicitan la Navidad. El aguinaldo es voluntario, nadie tiene la obligación de pagarlo si no quiere, y suele consistir en una pequeña cantidad.

(42) *La Lotería* es un sorteo oficial que se realiza semanalmente y en el que muchos españoles participan habitualmente. Los mayores premios se reparten en el sorteo de Navidad, que tiene un primer premio, "el gordo", símbolo de la máxima suerte que puede tener un español.
Ese día todo el sorteo se retransmite por la radio y la televisión. Los niños de un colegio de huérfanos, el de San Ildefonso, son los encargados de "cantar" los premios.

(43) *Un duro* son cinco pesetas. En España es muy frecuente contar en duros determinadas cantidades. Así, es más frecuente decir *veinte duros* que *cien pesetas*, *diez duros* que *cincuenta*, etc.

(44) En Argentina es muy frecuente usar la expresión *che* que tiene muchos valores comunicativos. Asímismo se usa *vos* en lugar de *tú* y se acentúan las segundas personas de los presentes de Indicativo: *preguntás* en lugar de *preguntas*, por ejemplo.

(45) Uno de los regalos típicos de las fiestas de Navidad son las *cestas* llenas de alimentos (turrones, embutidos, jamón serrano, etc.) y bebidas (coñac, champaña, etc.)

(46) *Estar por las nubes* es una expresión que se utiliza para indicar que algo es muy caro.

(47) Cerca de Madrid hay una extensión montañosa, denominada por los madrileños *la Sierra*, que forma parte de una cordillera que divide la meseta castellana: el Sistema Central.

(48) *Un décimo* es el nombre de cada boleto de la Lotería y es la participación mínima que se puede comprar.

(49) *Sierra Nevada* está situada en la provincia de Granada, en Andalucía. Es una extensión montañosa en la que se halla el pico más alto de España, el Mulhacén, con 3.478 metros.

(50) En los edificios más antiguos de las ciudades españolas no suele haber calefacción central.

(51) Es muy frecuente que los taxistas madrileños le pregunten al viajero el itinerario que quiere seguir.

(52) La Plaza de Cibeles y la Glorieta de Atocha están muy próximas entre sí.

(53) Todos los trabajadores españoles reciben días antes de Navidad una paga extraordinaria que es aproximadamente la misma cantidad que cobran mensualmente.

(54) Entre Madrid y Barcelona, por ser éstas las dos ciudades españolas económicamente más importantes, hay aviones cada hora, para los que no se pueden hacen reservas. A este sistema de vuelos se le llama *Puente Aéreo*.

(55) El *Gregorio Marañón* es uno de los hospitales públicos más importantes de Madrid.

(56) Cataluña es una de las Comunidades Autónomas con más personalidad histórica y cultural propia. Está formada por cuatro provincias: Barcelona, Tarragona, Lérida y Gerona. En Cataluña hay dos lenguas oficiales, el catalán y el castellano.

(57) *El mundo es un pañuelo* es una expresión que se utiliza después de alguna coincidencia, del estilo de la ocurrida en este capítulo, para indicar que, contrariamente a lo que parece, el mundo es muy pequeño.

(58) Este tipo de bromas son las más frecuentes en ese día. También se hacen bromas por teléfono y es tradicional que los periódicos incluyan una noticia falsa que los lectores tratan de identificar. Todas estas bromas reciben el nombre de *inocentadas*. En España no se celebra el 1 de abril.

(59) *ABC* es el periódico de tendencia conservadora más vendido en España, aunque el de mayor tirada es *El País*, de tendencia progresista e independiente.

(60) En España, y en la mayor parte de los países de habla española, hay una gran oferta de las llamadas *revistas del corazón*, dedicadas a informar sobre la vida íntima y social de los famosos. *Hola* es la revista más vendida y la siguen *Diez Minutos* y *Semana*, entre otras.

(61) Las oficinas de la Policía Nacional reciben el nombre de *comisarías*.

(62) Los niños escriben una carta a los Reyes Magos en la que piden las cosas que quieren que les regalen. En varios puntos de las ciudades, los Reyes, vestidos con sus antiguos trajes, están durante todo el día recibiendo a los niños y recogiendo sus cartas.

(64) *Mañana será otro día* se utiliza en español, a modo de consuelo, cuando se ha tenido alguna experiencia desagradable.

(65) La *Puerta del Sol*, situada en el centro de Madrid, kilómetro 0 de las carreteras españolas, es uno de los núcleos importantes de la actividad ciudadana.

Tradicionalmente los madrileños se reúnen allí para tomar las uvas al compás de las campanadas del reloj instalado en el edificio de la Comunidad de Madrid. Desde hace muchos años se retransmite por televisión.

(66) La tradición de las uvas, que no está implantada en la mayor parte de los países hispanoamericanos, consiste en comer doce granos de uvas mientras suenan las doce campanadas. Se las llama también *las uvas de la suerte* ya que, popularmente, se considera que la persona que logra comer una con cada campanada tendrá un año de suerte.

(67) Benidorm es uno de los lugares tradicionales de verano de los madrileños, donde muchos tienen su segunda residencia. Es un centro turístico de largas playas y una fuerte oferta hotelera, situado en la provincia de Alicante, en el levante español.

(68) *Argüelles* es un barrio del norte de la ciudad, que creció fundamentalmente con el auge económico de los años 60 y que está habitado por clase media o clase media alta.

(69) Expresión que se refiere a los propósitos de cambio de vida que se suelen hacer coincidir con el nuevo año.

¿LO HAS ENTENDIDO BIEN?

1

Escribe lo que caracteriza a cada uno de estos personajes:
- Doña Josefa:
- Doña Carmela Sagasta:
- El matrimonio Muñoz:
- Irene Vázquez:
- Ricardo Soláó
- José Moyano:
- La pareja de argentinos:

2, 3, 4, 5 y 6

Contesta a estas preguntas:
- ¿Cuál es la afición favorita de Ricardo Solá?
- ¿Qué le pasa a Junichi con la carta que le da Doña Josefa?
- ¿Qué le cuenta Irene a su amiga Begoña?
- ¿Cómo se conocieron Irene y José?
- ¿Por qué José no llama a Irene esa misma noche?
- ¿Cuándo piensa trasladarse Sonia a casa de su padre?
- ¿Cómo va a trasladarse Sonia?
- ¿Por qué se enfada Clara en "Casa Paco"?
- ¿Qué le pasa al cartero?
- ¿Qué hace el cartero con la carta de Ricardo Solá?

7 y 8

Une con una flecha:

Doña Carmela Sagasta y la portera	todas las tardes sale sobre las 4h.
Doña Luisa Mendoza	va muy pintada, teñida y vestida de rojo
Doña Carmela	engañan a sus maridos
A Doña Carmela	son aficionadas a hablar de los vecinos
A Doña Luisa	le encantan los hombres
Doña Luisa y su amiga	es guapa, elegante y simpática
	le hace regalos a su marido cuando gana

9, 10 y 11

Señala si son verdaderas o falsas las siguientes frases:

	V	F
1. Muchas veces suena el timbre en casa de Ricardo con llamadas que no son para él.	☐	☐
2. El chileno le dice a la portera que le diga a Irene que la ha ido a ver.	☐	☐
3. José Moyano le ha dicho a la portera que su hija Sonia va a vivir con él.	☐	☐
4. A Irene no le gustan las fiestas de Navidad. Piensa que son demasiados días y que se come demasiado.	☐	☐
5. La familia de Irene es católica practicante.	☐	☐
6. Lucho e Irene hacía tres o cuatro años que no se veían.	☐	☐

	V	F

7. Lucho se casó hace dos años con una francesa y tiene una hija de un año, pero Irene no lo sabía. ☐ ☐

8. Doña Carmela se encuentra casualmente a un antiguo conocido. ☐ ☐

9. José está enfadado consigo mismo porque no ha llamado a Irene. ☐ ☐

10. Clara le pregunta a José por qué estaba con otra mujer. ☐ ☐

11. Cuando José le presenta a Sonia no le dice a Clara que es su hija. ☐ ☐

12

¿Te parece bien este resumen cultural del capítulo?

"En Navidad todo está muy caro pero la gente compra muchísimo, sobre todo, productos de alimentación. La mayoría de personas va a celebrar la Navidad en familia. Hay un sorteo de Lotería que se retransmite por la radio y muchas personas lo escuchan durante toda la mañana para saber si les ha tocado el premio gordo. Los empleados públicos van por las casas pidiendo el aguinaldo y entregan una especie de crisma deseando felices fiestas. Algunas personas reciben regalos. Uno de los regalos típicos son las cestas de Navidad."

13 y 14

Contesta a estas preguntas:

- ¿Cuándo llama José a Irene qué le dice?

- ¿Está satisfecho José del mensaje que ha dejado en el contestador? ¿Por qué?

- ¿Por qué está asustada Irene?

- ¿A quién le han dicho algunos vecinos que les molestaba la música?

- ¿Cuántas veces llaman esa tarde a casa de Ricardo Solá?

- ¿Por qué va a verlo el japonés?

- ¿Qué tal le explica Ricardo un problema gramatical al japonés?

- ¿Qué dudas gramaticales tiene el japonés?

15 y 16

Señala si son verdaderas o falsas las siguientes frases:

	V	F
1. Irene está contenta porque cree que José está celoso.	☐	☐
2. La madre de Irene este año va a hacer una cena especial: col lombarda y besugo.	☐	☐
3. La madre de Irene cree que está bien que Irene le regale un libro a su padre.	☐	☐
4. Sonia no sabe que Clara está enamorada de su padre.	☐	☐
5. Clara va a ver a Sonia únicamente para ver a su padre, pero no comparten nada.	☐	☐
6. José, cuando se entera de que Clara se queda a cenar, dice que le importa muchísimo y que no quiere que se quede.	☐	☐
7. José invita a Irene a pasar unos días esquiando pero Irene no puede ir tantos días porque tiene que pasar la Nochebuena en familia.	☐	☐

17 y 18

Une con una flecha:

Ricardo	está muy mal
En Madrid	va en taxi al aeropuerto
El tráfico	está en Salidas Nacionales
Barcelona	todo empieza más tarde
El Puente Aéreo	es muy húmedo
Begoña	son muy serios
Los catalanes	tiene un novio catalán
Los madrileños	siempre llegan con retraso
A Ricardo	le encanta leer revistas

19 y 20

Contesta a estas preguntas:

– ¿Qué broma suelen hacer los niños el día de los Inocentes?

– ¿Qué broma quiere hacerle Clara a José? ¿Lo consigue?

– ¿Quién le escribe una carta a Doña Luisa Mendoza y qué le pone?

– ¿Qué le pide Doña Luisa al cartero?

– ¿Con quién va a hablar Doña Luisa? ¿Por qué?

– ¿Qué piensa José cada vez que llega a casa?

– ¿Cúal es la pregunta que más veces le hace José a su hija?

– ¿Qué piensan hacer Sonia y Clara con Ricardo Solá?

– ¿Qué le hace Clara a Irene?

– ¿Qué le propone José a Irene?

21, 22 y 23

Señala si son verdaderas o falsas las siguientes frases:

		V	F
1.	Los policías le explican a la portera por qué buscan a Ricardo	☐	☐
2.	Junichi le está traduciendo a Ricardo las instrucciones para usar un teclado.	☐	☐
3.	Los policías le explican a Ricardo que lo han denunciado por molestar a los vecinos.	☐	☐
4.	Ricardo ha recibido los avisos pero ha decidido no ir a Comisaría.	☐	☐
5.	La portera explica que tal vez Ricardo es un drogadicto y que por esa razón lo han detenido.	☐	☐
6.	El doctor Muñoz, el padre de Clara, ha sido el que ha puesto la denuncia.	☐	☐
7.	Miguel Fernández, el marido de Doña Luisa Mendoza les explica a la portera y al doctor Muñoz que ha denunciado a Ricardo.	☐	☐
8.	El señor Fernández no ha subido nunca a avisar a Ricardo.	☐	☐
9.	Ricardo no sabía que el cartero había dejado los avisos en el buzón porque ha perdido la llave y la portera le da todas las cartas.	☐	☐
10.	Igualmente Ricardo y Sonia van a ensayar para la Nochevieja.	☐	☐
11.	Ricardo va a escribir una carta a los Reyes Magos para arreglar la habitación para no molestar más a los vecinos.	☐	☐
12.	Cuando Ricardo va a disculparse a casa del Señor Fernández, éste está muy amable con él.	☐	☐

¿Te parece bien este resumen cultural del capítulo?

"Muchas personas van a pasar la noche de Fin de Año a la Puerta del Sol para oír allí las doce campanadas y tomar las uvas. Horas antes de las doce la gente va llegando allí con bebidas. La fórmula para felicitar el año es "Feliz Año" o "Feliz Año Nuevo", pero en español hay una expresión, "Año nuevo, vida nueva", que se utiliza para decir que en el próximo año se va a cambiar, en algún aspecto, de vida".

VENGA A LEER

NIVEL 0 (principiantes en el primer año de estudios):

- **Vacaciones al sol** (serie "Lola Lago, detective")
  L. Miquel y N. Sans.—36 págs.—ISBN 84-87099-71-8
- **Los reyes magos** (serie "Plaza Mayor 1")
  L. Miquel y N. Sans.—36 págs.—ISBN 84-87099-70-X
- **Más se perdió en Cuba** (serie "Hotel Veramar")
  D. Soler Espiauba.—48 págs.—ISBN 84-87099-82-3

NIVEL 1 (principiantes en el primer año de estudios):

- **Poderoso caballero** (serie "Lola Lago, detective")
  L. Miquel y N. Sans.—56 págs.—ISBN 84-87099-31-9
- **Por amor al arte** (serie "Lola Lago, detective")
  L. Miquel y N. Sans.—68 págs.—ISBN 84-87099-28-9
- **El vecino del quinto** (serie "Plaza Mayor 1")
  L. Miquel y N. Sans.—56 págs.—ISBN 84-87099-06-8
- **Una nota falsa** (serie "Lola Lago, detective")
  L. Miquel y N. Sans.—36 págs.—ISBN 84-87099-73-4
- **Reunión de vecinos** (serie "Plaza Mayor 1")
  L. Miquel y N. Sans.—36 págs.—ISBN 84-87099-72-6
- **... Pero se casan con las morenas** (serie "Hotel Veramar")
  D. Soler Espiauba.—48 págs.—ISBN 84-87099-83-1

NIVEL 2 (falsos principiantes, finales del primer año de estudios):

- **La llamada de La Habana** (serie "Lola Lago, detective")
  L. Miquel y N. Sans.—48 págs.—ISBN 84-87099-11-4
- **El cartero no siempre llama dos veces** (serie "Plaza Mayor 1")
  L. Miquel y N. Sans.—72 págs.—ISBN 84-87099-12-2
- **Vuelo 505 con destino a Caracas** (serie "Primera Plana")
  L. Miquel y N. Sans.—80 págs.—ISBN 84-87099-10-6
- **Lejos de casa** (serie "Lola Lago, detective")
  L. Miquel y N. Sans.—36 págs.—ISBN 84-87099-74-2
- **Moros y cristianos** (serie "Hotel Veramar")
  D. Soler Espiauba.—48 págs.—ISBN 84-87099-84-X

NIVEL 3 (estudiantes intermedios):

- **¿Eres tú, María?** (serie "Lola Lago, detective")
  L. Miquel y N. Sans.—56 págs.—ISBN 84-87099-04-1

NIVEL 4 (estudiantes avanzados):

- **Una etiqueta olvidada** (serie "Almacenes La Española")
  Ch. Garcés y J. P. Nauta.—38 págs.—ISBN 84-87099-20-3
- **Transporte interno** (serie "Almacenes La Española")
  Ch. Garcés y J. P. Nauta.—38 págs.—ISBN 84-87099-21-1
- **Ladrón de guante negro** (serie "Hotel Veramar")
  D. Soler Espiauba.—56 págs.—ISBN 84-87099-01-7

NIVEL 5 (estudiantes en los cursos superiores):

- **Doce rosas para Rosa** (serie "Hotel Veramar")
  D. Soler Espiauba.—56 págs.—ISBN 84-87099-05-X